Daphne Deckers is al jarenlang een van de succesvol-
ste columnisten van Nederland en publiceerde ruim
tien bundels, waaronder 111x Daphne. Inmiddels zijn
er ruim 1 miljoen boeken van Daphne Deckers over
de toonbank gegaan. Eind 2012 debuteerde zij met de
roman Alles is zoals het zou moeten zijn.

Blijf op de hoogte van het werk van Daphne Deckers:
www.facebook.com/daphnedeckerswelkom

Van Daphne Deckers verschenen eerder:

Laat maar waaien, over liefde, leven en lust

111 x Daphne, over mannen, moeders, en meer!

De dikke van Daphne, over zwanger zijn en moeder worden

De geboorte van een moeder

Liefde

Alles is zoals het zou moeten zijn (roman)

Daphne Deckers

Seks

Uitgeverij Mistral, Amsterdam 2013

© 2013 Daphne Deckers
© 2013 Uitgeverij Mistral, Amsterdam
Omslagontwerp Riesenkind
Auteursfoto Nick van Ormondt
Typografie Perfect Service

ISBN 978 90 488 1734 4
NUR 401

www.uitgeverijmistral.nl
www.facebook.com/uitgeverijmistral
www.facebook.com/daphnedeckerswelkom

Mistral is een imprint van Dutch Media Uitgevers bv.

Dit boek is ook leverbaar als e-book:
978 90 488 1735 1

Inhoud

Gezonde seks

In de zomer hebben mensen méér seks dan anders. Dat schijnt iets te maken te hebben met het gevoel van vrijheid, blijheid én met klotsende oksels. Bij warmere temperaturen zweet je namelijk meer, waardoor ook meer feromonen worden uitgescheiden: de mysterieuze seksuele lokstoffen die mensen met onzichtbare draadjes naar elkaar toe trekken. (Niet te verwarren met alcohol, hetgeen ook kan werken als een mysterieuze lokstof, maar dan meer in de zin van dat je 's ochtends met een houten kop wakker wordt en denkt: 'Wie is dát?!') Maar volgens mij hebben mensen in de zomer ook meer seks omdat ze simpelweg minder kleding dragen. In de winter moet eerst die knetterende coltrui nog uit, en dan de prikkende maillot, en de gebreide onderbroek... Da's toch een ander gevoel dan dat je alleen maar het strikje van je bikinibroekje hoeft los te maken. Maar weet je wat ik nu zo opvallend vind? Er mag dan veel gesekst worden in de zomer; de daadwerkelijke baby's blijken in de winter te worden gemaakt.

Wanneer je kijkt naar de geboortecijfers in Nederland, dan zijn die negen maanden na de kerstdagen het hoogst. Hoe zou dat komen? Misschien zijn we rond de kerst wel in de juiste stemming om Genesis 1:28 ('Gaat heen en vermenigvuldigt u') behoorlijk letterlijk te nemen. Of misschien is iedereen dan bevangen door het 'vrede op aarde'-gevoel; iets wat duidelijk geen rekening houdt met al die schoonmoeders die zich straks met de opvoeding komen bemoeien. In de zomermaanden heeft de Nederlander in ieder geval geen voortplantingsdrift, want juni, juli en augustus zijn de piekmaanden voor de verkoop van condooms. Augustus blijkt ook nog eens de minst vruchtbare maand te zijn, gezien een flinke geboortedip in mei. Eén van de redenen hiervoor zou de temperatuur zijn. Zaadcellen houden niet van warmte; daarom bungelen ze ook in hun eigen koelboxje buiten het lichaam. Maar die 'hitte' lijkt me in Nederland niet zo'n probleem. Hier durf je zelfs in de zomer nauwelijks een buitenhuwelijk te plannen met al die regen. De wisselende weersomstandigheden zijn overigens een prima reden om wat vaker van bil te gaan: seks schijnt erg goed te zijn voor je immuunsysteem. Dus in plaats van vitaminepillen slikken, zou je beter... nee, wacht – laat ik die zin maar niet afmaken. Regelmatig seksen is ook goed voor de conditie van je hart. Je slaapt er beter van, je leeft langer en het schijnt zelfs effectief te zijn tegen hoofdpijn. Dat laatste weet ik zo net nog niet, want zeg nou zelf: als je al een bonkend hoofd hebt, dan zit je toch niet te wachten op nog méér gebonk-kebonk? Van sommige wetenschappelijke onderzoekjes weet ik sowieso niet wat ik er van moet vinden. Zo is seks dus goed voor je immuunsysteem, maar te véél seks schijnt dan weer nadelig te zijn voor je afweer. Maar wat is te veel? En valt slechte seks daar ook onder? Want daar kun je ook goed ziek van zijn.

Maar misschien bedoelen ze met te veel seks wel 'gymmen': het begrip dat Patricia Paay dit jaar heeft gelanceerd in haar biografie *La Paay*. Daarin schreef ze dat de jonge mannen van nu niet zozeer de liefde bedrijven, als wel 'een stevig potje gymmen'. Au, dat klinkt als iets wat gaat schuren. Wanneer je er talkpoeder bij nodig hebt, is het vast niet goed voor je afweer; ik denk dat dát een goede stelregel zou zijn. Tot slot nog een laatste opsteker: een universiteit in Schotland ontdekte dat mensen die regelmatig seks hebben, zeven tot dertien jaar jonger worden ingeschat. Dus laat die dure potten met antirimpelcrèmes maar in de winkel staan. Deze zomer laat je de natuur gewoon lekker haar gang gaan!

Eten of Seksen

Uit een Britse enquête is gebleken dat meer dan de helft van de vrouwen vaker aan eten denkt dan aan seks. Eénderde van de ondervraagde vrouwen blijkt zelfs vaker aan eten en diëten te denken dan aan hun geliefde. En tien procent van de vrouwen vindt ontrouw zijn aan hun dieet erger dan ontrouw zijn aan hun geliefde. Ja, het klinkt allemaal vreselijk, en de media waren o-zo-verontwaardigd, maar mijn vraag is dit: is het nu echt zo fout om vaker bezig te zijn met wat er op je bord ligt dan wat er in je bed ligt? Zo raar is dat toch niet? De meeste mensen eten minstens drie keer per dag; en hoe graag je je eigen man ook op je menu zet, meer dan drie keer per dag ga je waarschijnlijk alleen op je huwelijksreis halen – en zelfs dán gaat het schuren. Vrouwen zijn gewoon eerlijk. En praktisch. Want je hebt altijd een lichaam, maar niet altijd een relatie. En over een dieet heb je tenminste zélf nog een beetje controle; dat krijg je in relaties amper voor elkaar.

Maar los van het feit dat mensen veel vaker eten dan vrijen, speelt er ook nog iets anders mee. Misschien is seks tegenwoordig wel niet meer zo stout en geheimzinnig als het ooit was: het is overal te downloaden, overal te krijgen, overal te zien. 'Het geheim van de slanke lijn' blijkt de steeds dikker wordende westerse mens echter wél raadselachtig te vinden, en samen met je vriendin je dieet bedriegen door clandestien een taartje weg te werken voelt lekker stiekem en ondeugend. Mensen krijgen tegenwoordig dan ook eerder rode oortjes van een nachtelijke greep in de koelkast dan van een nachtelijke greep onder de lakens. Of valt het allemaal wel mee? Want de tweede vraag die ik bij deze Britse enquête heb, is dit: is het wel wáár? Het onderzoek is namelijk gehouden door Atkins – een dieetbedrijf. Ik denk dat je bij een rondvraag in een (ik noem maar wat) parenclub misschien wel heel andere antwoorden had gekregen.

En waarom zijn het eigenlijk steeds de vrouwen die de obsessie met eten op hun bordje krijgen geschoven? Mannen kunnen er ook wat van. Uit allerlei wetenschappelijke onderzoeken – zoals laatst nog van de Ohio State University – is allang gebleken dat ook mannen helemaal niet de hele dag aan seks denken. Zij blijken hun dagdromen netjes te verdelen over eten, slapen en seks. In die volgorde. Seks is een sterke drijfveer, maar óók mannen stoppen daarnaast graag nog wat anders in hun mond. Is dit nu echt allemaal zo opvallend? Zelfs mijn hond denkt vaker aan eten dan aan seks. Als hij een bevallig teefje langs ziet trippelen, gaat zijn staart omhoog en is hij één en al aandacht – totdat ik de hondenkoekjes uit mijn zak haal. Ze hebben een heleboel mannen ooit gevraagd wat ze liever zouden doen: thuis op de bank met een biertje naar de Champions League finale van hun favoriete voetbalclub kijken, óf op een date gaan met de bloedmooie Victoria's Secrets Angel Adriana Lima. Veruit de meeste mannen kozen voor bank en bier. Borrelnoten versus blauwe noten – ik begrijp het wel.

Schuren

Zeventig procent van de mannen vindt dat hij het recht heeft om op de dansvloer tegen vrouwen op te rijden. Dat schreef de *Groningse Universiteitskrant* na een peiling onder honderd Groningse studenten. Vrouwelijke studentes hadden al vaker geklaagd over het opdringerige gedrag van mannelijke studenten in de Groningse uitgaansscene, waarna de krant besloot om een onderzoek te doen. Het zal niemand verbazen dat 90% van de vrouwen totaal niet gecharmeerd was van dit *dryhumpen* (droogneuken, in algemeen beschaafd Nederlands). Maar waarom blijven al die mannen het dan toch doen? Daarvoor kwam een evolutionair psychologe aan het woord, Karlijn Massar. Die vertelde dat het ongevraagd schuren tegen andermans billen 'evolutionair gezien' heel makkelijk te verklaren was: 'Mannen zijn vooral bezig hun genen te verspreiden. Daarbij gaan ze ervan uit dat vrouwen net zo veel zin hebben in seks als zij.' Ach, het befaamde genen-verspreiden-excuus. Helaas blijft de andere kant van dat verhaal altijd onderbelicht. Ja, de mannen waren in de oertijd al druk aan het swaffelen. Maar de vrouwen moesten zich 'evolutionair gezien' net zo goed door zo veel mogelijk verschillende mannen laten bevruchten, om zo de kans op een sterk nageslacht te vergroten. Dus, heren: de Groningse studentes hebben inderdaad veel zin in seks – alleen niet in seks met jullie. Zo simpel is het namelijk. Een vrouw kan zelf wel bepalen of ze jouw 'gehaktstaaf tussen haar twee broodjes' wil, zoals ik droogneuken op een chatsite omschreven zag. Daar las ik trouwens ook een interessante vraag van iemand: of schuren eigenlijk vreemdgaan was. De schrijver kreeg er namelijk een stijve van als hij op de dansvloer tegen het kontje van een willekeurig meisje aan stond te rijden. Ik vond de reacties tamelijk veelzeggend: schuren, daar moest je lekker van genieten, vooral als je vriendin niet keek. Én een stevige spijkerbroek aantrekken, zodat je erectie niet zo opviel. Maar wat als een onbekende gast zomaar tegen jouw vriendin op ging rijden? Nee, dát kon echt niet, dan vielen er klappen.

Aha. Dus de heren weten zelf ook wel dat dryhumping geen onschuldig vermaak is. In rapvideo's ziet het er ook altijd zo feestelijk uit: zo'n deinende massa bikinibabes die het geweldig vinden dat 50 Cent met zijn onderlijf tegen hun billen aan wrijft. De meeste vrouwen vinden *bubbling* ook opwindend en spannend en leuk – maar alleen met een vent die ze zelf uitzoeken, net als bij het schuifelen vroeger. Helaas nemen de heren niet meer de moeite om zich even aan je voor te stellen. In plaats van een warme hand ('Hoe heet jij?') krijg je nu een warme gehaktstaaf ('Hoe heet ben jij?'). Karlijn Massar noemde deze houding vreemd genoeg 'geëmancipeerd,' omdat de mannen de vrouwen hiermee 'als hun gelijken' zagen. Sorry, maar dat is niet emanciperen, dat is koeioneren. Stel je voor dat een vrouw die jij helemaal niet kent bij jou thuis de spullen komt verschuiven: de bank naar hier, de tafel naar daar. Daar zou je al van balen. Moet je nagaan hoe leuk een vrouw het vindt dat jij op de dansvloer haar zitmeubel gaat bepotelen. Heus – als ik wil dat er iemand ongevraagd tegen me op gaat rijden, koop ik wel een hond.

Internetporno

Vorig jaar publiceerde ik mijn eerste roman *Alles is zoals het zou moeten zijn*, en daarmee heb ik het nodige over mezelf afgeroepen. Bret Easton Ellis heeft ooit gezegd dat je je als schrijver niet moet laten remmen door de angst wat anderen van jouw werk zouden kunnen vinden; iets waar hij zich in *American Psycho* behoorlijk aan heeft gehouden door een hele stoet mensen op gruwelijke wijze te vermoorden. Ik herinner me nog maar al te goed dat de meeste boekbesprekingen zich destijds richtten op de 'zieke geest' van Easton Ellis zélf. Ook Saskia Noort moet na ieder boek opnieuw uitleggen dat zij géén moorddadig karakter heeft, en dat er hele weken voorbij gaan zonder dat zij iemand uit haar vriendenkring om zeep heeft geholpen. Bij mij ligt dat anders. In mijn roman worden geen mensen met een nietpistool aan het tapijt vast geschoten (dat zou in een relatiekomedie ook behoorlijk het verhaal ophouden) maar er wordt wel veel gepraat over liefde, seks en daten. Zo discussiëren mijn hoofdpersonen over internetporno, over vreemdgaan en over de sleur van seks in een langdurig huwelijk, waarbij het voorspel is gezakt tot het niveau van een hamburger: 'drie minuten aan elke kant'.

Ik heb me tijdens het schrijven van mijn roman nergens druk om gemaakt. Maar het boek was nog niet verschenen, of daar kwamen de eerste interviewaanvragen. En toen begon het. Keek ik zelf ook porno? En zo ja: welke variaties dan? Ging ik zelf ook vreemd? En zo nee: wilde ik vreemdgaan? En met wie dan? Was mijn man Richard wel eens vreemdgegaan? Zou ik hem eruit gooien als hij vreemdging? En aangezien ik óók een langdurig huwelijk heb: hoe was het eigenlijk met mijn voorspel gesteld? En zo ging het maar door. Het is dus écht waar, dacht ik. Journalisten willen maar één ding weten: 'Hoeveel zit er van jezelf in dit boek?' Alles, natuurlijk. En tegelijkertijd niks. Voor mij is mijn hoofdpersoon Iris echt gaan leven – maar ik bén haar niet. Ik ben ook niet haar vriendinnen. Ik ben iedereen en niemand.

Het is een relatiekomedie, en dus fictie. Maar ik merkte al snel dat ik in interviews vooral over mijn eigen relatie moest praten. En waar Saskia Noort nog kan zeggen dat zij nog nooit iemand van een balkon heeft geduwd, kan ik met twee kinderen moeilijk volhouden dat ik nog nooit seks heb gehad. Hoewel ik verre van preuts ben, moest ik soms echt even slikken bij de impertinente vragen die me werden gesteld. Journalisten vissen naar dingen die zelfs mijn beste vrienden niet zomaar op tafel zouden durven leggen. Nu weet ik dat ik niet alles hoef te beantwoorden, maar dan krijg je citaten als: 'Toen we Daphne vroegen naar de frequentie van haar pornoconsumptie hield zij wijselijk haar mond. Het moet dan wel substantieel zijn'. Ik verheug me dan ook op het schrijven van een eventuele tweede roman; dat betekent minstens vijftien maanden rust. Eens kijken wat ik in de tussentijd met een handzaag zou kunnen doen...

Seksles

Er zijn twee plekken waarop de meeste mannen nauwelijks commentaar kunnen verdragen: in de auto, en in bed. Een man laat zich niet graag vertellen hoe hij moet rijden, zoveel is duidelijk. Veel mannen vinden zichzelf een natuurtalent; zo denkt bijna 85% van de heren dat zij een betere chauffeur zijn dan gemiddeld – iets wat statistisch gezien nogal lastig is. Eén op de zes mannen vindt zelfs dat zij beter kunnen klussen dan een vakman die ervoor is opgeleid. (Voordat de dames zich al te superieur gaan voelen: ik durf te wedden dat negen op de tien vrouwen ooit gedacht hebben dat het hen wél zou lukken om die ontrouwe kerel met bindingsangst 'heel' te maken.) Maar hoe kom ik hier zo op? Door de seks-seminars van het Engelse Coco de Mer. Deze erotiekwinkel – of *erotic emporium*, zoals ze het zelf noemen – is het sjieke antwoord op de vaak ranzige seksshops; met luxueuze interieurs, sensuele lingerie en hoogglanzende design-speeltjes.

Coco de Mer is trouwens opgericht door de twee dochters van Anita Roddick; de grondlegster van The Body Shop. 'Onze moeder deed de buitenkant van het lichaam. Wij doen de binnenkant', zei dochter Sam zonder blikken of blozen bij de opening. Los van het grote succes van de Londense winkels (blijkbaar gaan door de recessie steeds meer mensen hun vertier binnenshuis zoeken), hebben ze nog een bestseller in huis: hun *salons*. Dit zijn eigenlijk gewoon seksklasjes, maar dan *classy*, waar je allerlei nieuwe dingen kunt leren of je oude technieken wat kunt aanscherpen. Het meest populaire seminar is *Tricks to Thrill a Man*, oftewel trucjes om een man te plezieren. Deze *salons* zijn steevast uitverkocht, en altijd afgeladen met vrouwen. Maar er is ook een mannelijke tegenhanger van dit seminar: *Tricks to Thrill a Woman*. Die is maar één keer per seizoen, en zelden vol. De meeste deelnemers zijn vrouwen die hun onwillige man hebben meegesleurd, in goede navolging van het persweeënklasje op de zwangerschapsgym.

De vraag is nu: durven mannen niet? Of vinden ze dat zij niets hoeven bijleren? Ik vrees het laatste. Net als met autorijden vermoed ik dat heel wat mannen denken dat hun bedprestaties bovengemiddeld zijn. Nadat ik mijn golfvaardigheidsbewijs had gehaald, bleef ik volgens mijn golfleraar veel te lang hangen op de driving range. 'Dat doen de meeste vrouwen', zei hij. 'Die blijven maar oefenen en mandjes met ballen leegslaan, terwijl mannen na anderhalve golfles denken: "Zo, ik weet het nu wel", en dan de plaggen uit de baan gaan rammen.' Sinds de uitvinding van de gps is één mannelijke afwijking volledig in de anonimiteit verdwenen: de totale onwil om de weg te vragen. Rondom het vrouwelijk lichaam hangt er – wat hem betreft – echter een beetje dezelfde sfeer: hij weet heus wel waar hij heen wil, en hoe hij daar in vliegende vaart moet komen. Waar vrouwen best eens wat minder het gevoel zouden mogen hebben dat ze altijd tekort schieten, zouden mannen best eens wat meer open mogen staan voor bijscholing. Want stel dat je vrouw op zo'n seminar wat nieuwe noten op haar zang krijgt, dan wil je toch niet dat ze ergens anders een mandje met ballen gaat leegslaan?

Scherp schieten

Vorig jaar had ik in de meivakantie een nummer van het Engelse mannenblad GQ gekocht voor de prachtige fotoreportage van Cameron Diaz. Maar nog interessanter dan Camerons fitnessschema bleek het blad zelf: het bood een leerzaam kijkje in de psyche van de moderne man. Ik heb er destijds een hele column aan gewijd, waarbij één vraag uit de probleemrubriek me nog het meest is bijgebleven: welke seksspeeltjes kon je het beste meenemen op vakantie zonder gênante momenten bij de douane? Antwoord: met de fruitschaal op je hotelkamer kun je ook leuke dingen doen. Onbetaalbaar advies. Dus dit jaar heb ik ter lering en vermaak wederom zo'n tijdschrift gekocht. En het stelde niet teleur. Mijn favoriete quote van deze editie: 'Voorspel is als een hamburger: drie minuten aan elke kant.' Wat ik overigens wél teleurstellend vond, waren de mannelijke modellen in het blad. Waar zijn de echte kerels gebleven? Het was allemaal type 'natte kers' of niet ouder dan zeventien met ongekamd haar en een kippenborst. Zo bezien lijden ook mannen onder een onhaalbaar schoonheidsideaal.

Verder is het best leuk om een man te zijn – ze zijn met zulke andere dingen bezig. In vrouwenbladen vind je nuttige informatie over welke mascara je moet kopen: wil je een vibrerend steeltje, een telescopisch borsteltje, een volumineus effect of juist een gepatenteerd precisiekammetje? Handig. GQ daarentegen adviseert de heren welke luchtbuks ze moeten kopen: de BSA Lightning XL (mannen zijn dol op XL) of de Essential 4-12x44AO? En dan nog de kogeltjes. Je kunt kiezen uit Elite hagel waarmee je makkelijker raak schiet, of een doosje Interceptor voor meer *killing power*. Geen makkelijke keuze. Net als lingeriesetjes kopen; hoe doe je dat eigenlijk? Het blad levert daarvoor drie kleurentabellen, passend bij bruin, rood en blond haar. Leuk bedacht, maar mag ik wat zeggen? Geef je vrouw gewoon een cadeaubon van La Perla. Want lingerie kopen is een mijnenveld. Je kunt een te grote beha kopen ('Is dit soms een hint?') of nog erger: een te groot broekje ('Heb ik zo'n dikke batterij?'). Je kunt het te sexy maken ('Een kruisloos slipje?') of juist te braaf ('Beertje Paddington?!').

Vrouwen zijn nu eenmaal onzeker over hun edele delen – maar mannen ook. Want GQ wijdt twee hele pagina's aan de opkomst en de ondergang van de penis. Bij twintigers is de penis nog 'een jonge hond die van de lijn is gelaten,' maar bij dertigers zet de neergaande lijn al in: warme laptops leggen het zaad lam en werkstress vermindert de productie. Veertigers wordt geadviseerd geen boxershorts meer te dragen, want daar krijg je later hangnoten van. Door het brave gezinsleven en het uitgekeken raken op moeder-de-vrouw is veertig dé leeftijd voor een affaire met de secretaresse. Vijftigers krijgen steeds minder schaamhaar en hun prostaat kan vergroten ('Maar je bankrekening ook,' voegt GQ daar monter aan toe) en mocht de buik gaan hangen, dan kan de penis op een champignon gaan lijken. Tegen de zestig gaan bij mannen niet alleen de borsten hangen maar ook de kroonjuwelen, maar dankzij viagra en penispompen blijft de zaak toch nog overeind. Ach gossie. Opeens

begrijp ik waarom mannen zo van luchtbuksen houden. Schieten ze toch nog een beetje met scherp.

Likken, bijten en zuigen

Ben jij een likker, een bijter of een zuiger? Even voor de goede orde: ik heb het hier over het eten van ijs. Uit een onderzoek is gebleken dat mensen dit op drie manieren doen. Maar hoe je het ook doet – bijna alle mannen (maar liefst 97 procent) blijken het sexy te vinden om te kijken naar een vrouw die een ijsje eet. De beweging van de tong en de lippen langs het ijs doet hun gedachten al snel afdwalen naar lager gelegen regionen. Wat een verrassing. Stop een kroket in je mond en mannen beginnen al over hun eigen warme vleesvulling te fantaseren. Het zal dan ook niemand verbazen dat de heren het liefst likkers en zuigers aan het werk zien. Daar gaan de vingers blijkbaar van jeuken, want 35 procent van de mannen zou de vrouw van hun dromen graag insmeren met ijs en dan aflikken. Ja, ja. Moet je op vakantie eens aan je man vragen of hij je wil insmeren met zonnebrandcrème. Dat gaat met een hoop gezucht en gesteun gepaard. Roomijs met een hoge beschermingsfactor – zou dat geen goed idee zijn?

Maar natuurlijk hebben niet alleen mannen vunzige bijgedachten. Ook vrouwen kunnen er wat van, want ruim 75 procent van de ondervraagde dames zei eveneens geprikkeld te raken van een man die een ijsje eet. Vrouwen vinden bijters lekker gretig en verwachten van zuigers dat ze goed kunnen tongzoenen. De associatie van ijs met erotiek is overigens niet typisch iets voor onze huidige, overgeseksualiseerde samenleving. Het eten van ijs werd in de victoriaanse tijd zo verleidelijk gevonden dat vrouwen in het openbaar niet aan een ijsje mochten likken. Je hoorde de lekkernij mee naar huis te nemen, om het daar in alle zedigheid op te eten. Roomijs werd destijds in kleine, glazen bakjes geserveerd die je voor één penny leeg mocht likken: de *pennylicks*. Uit hygiënische redenen en uit kostenbesparing werd uiteindelijk een eetbaar bakje bedacht dat van een wafel was gemaakt. De tweede grote doorbraak was het waterijs op een stokje. De ontdekking daarvan verliep verrassend simpel:

de twaalfjarige Frank Epperson had per ongeluk een glaasje ranja met een lepel erin 's nachts buiten laten staan. In 1924 vroeg hij met succes patent aan op zijn 'uitvinding', die van ijs definitief een massaproduct zou maken.

Ik denk niet dat de brave Epperson had durven dromen dat een grote ijsfabrikant anno 2009 aan duizend vrouwen zou vragen welke mannelijke beroemdheid zij het liefst 'op een stokje' zouden zien. Dat bleek Daniel Graig te zijn. Daar ben ik het uiteraard helemaal mee eens, want de James Bond-ster is natuurlijk de ultieme Mr. Cool. Het waterijsje heet *License to Chill* en heeft de vorm van het ontblote, gespierde bovenlichaam van 007. Likken, bijten of zuigen – ik zou niet weten waar ik moest beginnen. Nu nog een Clive Owen Cornetto (met noten!) en ik ben de hele zomer zoet. Toen ik dit laatst tegen een collega vertelde, keek ze me een beetje verwijtend aan. Of ik soms geen fan was van de Krajicek Calippo? Natuurlijk, dat is mijn favoriete smaak. Maar die heb ik thuis al. En je weet wat ze zeggen: verandering van ijs doet eten.

Groene seks

Het nieuwe jaar is nog maar net begonnen of de negativiteit is ook alweer van start gegaan. Afgelopen woensdag was het Driekoningen; hét teken dat het tijd wordt om de kerstboom de deur uit te doen. Nu heb ik een kunstboom, dus die zet ik ieder jaar zo – hopla – met lichtjes en al op zolder. Ik dacht altijd dat ik hiermee duurzaam bezig was, omdat er voor mij geen boom gekapt hoeft te worden. Hij hoeft ook niet te worden verbrand, dus dat scheelt alweer een stukje CO_2-uitstoot. Maar nu heeft iemand uitgerekend dat je een kunstboom minimaal zeventien jaar moet gebruiken voordat hij daadwerkelijk 'groen' rendement oplevert. Gelukkig heb ik hem al vijf jaar dus ik hoef nog maar twaalf jaar te wachten voordat ik een beetje eco bezig ben. Ik zat er ook serieus over te denken om een elektrische auto te kopen, totdat ik in een wetenschapskatern las dat de bijbehorende accu's een groot probleem kunnen gaan worden voor het milieu. Wat – echt? En niet alleen dat: als heel veel mensen elektrisch gaan rijden, dan moeten de vervuilende kolencentrales in ons land overuren gaan draaien om al die energie op te wekken – of we moeten overstappen op kernenergie. Maar is dát dan wat we willen? En is dit allemaal wel waar?

Ik word er zo moe van. Ben ik de enige die terugverlangt naar de tijd waarin niet voor ieder onderzoek een tegenonderzoek werd gelanceerd? Maar het jaar is nog maar net een week oud dus ik wil vooral positief beginnen. Er zijn namelijk ook léuke onderzoeken die dingen ontkrachten waarvan ik altijd heb gedacht dat ze waar waren. Zo is bijvoorbeeld uit langdurig wetenschappelijk onderzoek gebleken dat kinderen niet hyperactief worden van snoep. Wanneer ze zich drukker gedragen rond sinterklaas, kerst of een verjaardag, heeft dat meer te maken met de opwinding over het feest zelf dan met hun suikerconsumptie. Zo, dat scheelt alweer een schuldcomplex voor de moderne ploetermoeder die overal op aangekeken wordt.

En nu we toch bezig zijn: volgens het sportblad Body-talk is aangetoond dat warme chocomelk na het sporten effectiever is dan een energiedrankje. Ha, dacht ik het niet! Ik zeg: op naar de koek-en-zopie-stand voor een gezonde *cool down*. En al die liters water drinken, dat hoeft ook niet meer. Want inmiddels is bewezen dat al dat extra fleswater niks extra's voor je gezondheid doet. Zuivert het je lichaam? Welnee, dat doen je nieren toch wel. Val je er van af? Nee, helaas niet. Krijg je een schonere huid van? Ook een fabeltje. En het leukste is nog: het Nederlandse kraanwater is van bronwaterkwaliteit, en dat voor de prijs van 0,15 cent per liter. Nee, er zit geen chloor in en fluor wordt al dertig jaar niet meer toegevoegd. Maar het komt gewoon uit de kraan en niet uit al die vervuilende PET-flessen. Toegegeven: ordinair kraanwater is minder aanlokkelijk dan zo'n design waterfles à € 9,95 per 0,75 l. Zijn er dan geen verleídelijke groene tips? Jazeker wel: winterseks blijkt goed te zijn voor het milieu want met al die wrijving heb je geen elektrische deken nodig. Beetje chocomelk – en dóór!

Schaamhaar

Waar is ons schaamhaar gebleven? Je schijnt er tegenwoordig nog maar één ding mee te mogen doen: zoveel mogelijk verwijderen. Een kortgeschoren verticale streep heet een *french* en laat je de haartjes iets langer, dan heb je een *Beckham*. Een heel dun streepje noemen ze een *brazilian* en helemaal kaal is de *hollywood*. Ondanks het feit dat het idioot veel pijn doet en het buitengewoon gênant is om op handen en knieën te moeten gaan zitten zodat iemand hete wax tussen je billen kan smeren, is deze laatste stijl veruit het meest populair. Natuurlijk zijn er ook nog vrouwen die hun venusheuvel liever au naturelle laten. Dat noem je tegenwoordig een *patchouli*; een ietwat onflatteuze verwijzing naar de zware muskusgeur uit de seventies. Met name jonge mensen halen hier hun neus voor op; zij vinden schaamhaar vies. Zodra het begint te groeien, maaien ze alles eraf – zowel de jongens als de meiden. Mannen onder de 35 scheren niet alleen massaal hun ballen – het héle zaakje wordt ontbladerd. Ze vinden het hygiënischer, geiler en 'je pik lijkt groter,' aldus een mannensite; een claim die volgens mij nauwelijks te staven is.

Maar waarom is iedereen toch zo aan het ontharen geslagen? De media wijzen graag met een beschuldigende vinger naar de porno, waar een kale voor- en achtertuin de standaard is. Dat lijkt mij echter iets te voorbarig. Dát dertigers ongeremd veel internetporno kijken, staat als een paal boven water, getuige de schaamteloze opmerking van de zanger John Mayer dat hij 'van een nieuwe generatie masturbeerders is': 'Er zijn dagen dat ik al driehonderd vagina's heb gezien voor ik 's ochtends zelfs maar koffie heb gemaakt.' Dat móét iets met je verwachtingspatroon doen. Maar de geschiedenis laat ook nog iets anders zien: zodra de mens zich bewust werd van zijn lichaam, is hij begonnen met het te ontharen. Niet alleen voor de oude Egyptenaren, maar ook voor de Grieken en Romeinen was een glad en haarloos lichaam zeer begerenswaardig.

Vrouwen lieten zich duizenden jaren geleden al professioneel waxen met mengsels van honing en hars. Ook binnen veel religies, waaronder de islam, is het voor zowel mannen als vrouwen gebruikelijk om zich geheel te ontharen.

In het Middeleeuwse Europa werd het ontharen van de schaamstreek gezien als een hygiënisch wapen tegen schaamluis. Er kwamen zelfs speciale 'poezenpruiken' waarmee je de kale punani weer wat kon opleuken. De renaissance was de bloeiperiode van de haarloze vulva; de veelgeroemde Rubens-vrouwen hadden wulpse rondingen, maar geen spoortje van schaamhaar. In de victoriaanse tijd werd het onder de gegoede burgerij erg populair om het geschoren schaamhaar van je geliefde in een snuifdoos bij je te dragen. Maar in het begin van de 20e eeuw kwam het ontharen pas echt in een stroomversnelling door de uitvinding van het scheermesje. Na de introductie van de bikini (en later natuurlijk de string) was het hek helemaal van de dam. Ontharen is dus méér dan een knieval naar porno; het is een onderdeel van de menselijke natuur. Maar het is ook nog steeds een vrije keuze. Dus áls een man meent te moeten klagen

over je behaarde patchouli, zeg je gewoon: 'schat, ik
heb een historisch verantwoord snuifdoosje.'

Eten is seks

Vrouwen denken vaker aan eten dan aan seks. 60% van de vrouwen bleek namelijk meer dan tien keer per dag aan seks te denken, maar 70% dacht nóg vaker aan eten. Deze 'opvallende' uitkomst van een onderzoek haalde laatst alle voorpagina's, maar eerlijk gezegd weet ik niet wat er zo opvallend aan is. Niet alleen liggen de percentages dicht bij elkaar, maar seks en eten zelf zijn ook nauw met elkaar verbonden. Het heeft allebei te maken met genieten, met gulzigheid, met proeven en likken en ruiken. Iedere chef-kok weet dat een goed gerecht meerdere zintuigen moet bevredigen: hoe het wordt opgediend, hoe het geurt, hoe het voelt, hoe het smelt in je mond of juist uiteenspat in een smaakexplosie. Dat klinkt bijna erotisch – en eerlijk gezegd ís het dat ook. Luister maar eens hoe vrouwen onderling over lekker eten kunnen praten, dat is je reinste orgastronomie. Ze maken elkaar gek met sappige verhalen over dikke frieten, warme appeltaart en romige chocolademousse. Als de liefde van een man door de maag gaat, dan gaat-ie bij vrouwen door de mond. Zo stond er laatst nog in de krant dat vrouwen de eerste tongzoen als een graadmeter gebruiken voor het al dan niet aangaan van een relatie. De zoen als amuse: blijkbaar kunnen vrouwen 'proeven' of het wat wordt of niet. (Dus heren, niet gescoord met carnaval? Dat komt omdat je tong door al dat bier verandert in een zure rolmops.) Mannen die goed kunnen koken hebben bij vrouwen vaak een streepje voor – waarschijnlijk omdat zij hebben bewezen dat ze in ieder geval íéts kunnen klaarmaken. Zelfs die pokdalige, vuilbekkende Gordon Ramsay is ontegenzeggelijk een lekker hapje. Is het omdat-ie zo goed is met zijn handen? Ik weet het niet precies. Maar het heeft iets heel aantrekkelijks als hij weer eens gehakt staat te kneden. Mannen hoeven zich hierbij trouwens niet achtergesteld te voelen, want die hebben Nigella Lawson. Niemand kan zo suggestief carbonarasaus van haar vingers likken als zij. Zeker nu iedereen de mond vol heeft van diëten, is niks zo sexy als iemand die met overgave kan genieten van lekker eten. Mensen die elkaar leuk vinden, gaan op hun eerste date meestal samen uit eten. Dat is niet alleen intiem (en het gedimde licht doet wonderen voor je gezicht) maar het vertelt je ook het nodige over iemands karakter. Is het een slurper of een knoeier, een genieter of een twijfelaar? Kijkt-ie eindeloos op de kaart, wil hij nooit wat nieuws proberen of lepelt hij altijd jouw toetje leeg? Trek vooral je eigen conclusies. En valt de seks uiteindelijk toch nog tegen, dan vind je ongetwijfeld troost bij een moorkop. Die geeft altijd precies de bevrediging die je ervan verwacht. Misschien dat vrouwen daarom nog nét iets meer aan eten denken: het is wat overzichtelijker. Zo blijf je na het genot van een warm kaascroissantje slechts met een kléíne zak zitten. En je hoeft geen extra bescherming te gebruiken; een servetje is genoeg. 'Effe een vette bek halen' is ook stukken plezieriger dan naast een vette bek wakker worden. Want zoals mijn single vriendin altijd zegt: 'Waarom zou je het hele varken nemen voor die ene worst?'

Het Madonna-hoercomplex

De Engelse voetballer Ashley Cole was getrouwd met de knappe en in Engeland zeer populaire zangeres Cheryl Cole, maar bleek vreemd te gaan met serveersters en *webcam girls*. Garagehouder Jesse James was getrouwd met de geliefde Oscar-winnares Sandra Bullock, maar bleek vreemd te gaan met webcam girls en strippers. Tiger Woods was getrouwd met het Zweedse fotomodel Elin Nordegren, maar bleek vreemd te gaan met serveersters, webcamgirls, strippers én pornosterren. Weet de oplettende lezer hierin wellicht al een patroon te ontdekken? De deskundologen in ieder geval wel. Want om de zoveel tijd graaft iemand het weer op: het Madonna-hoercomplex. Zodra beroemde mannen vreemdgaan, lees ik altijd wel ergens een analyse dat veel mannen 'nu eenmaal' last hebben van dit complex. (Even voor de duidelijkheid: met Madonna wordt hier de Heilige Maagd Maria bedoeld en niet de popzangeres, die volgens sommigen eerder in de laatste categorie zou vallen.) Het Madonna-hoercomplex stelt dat veel mannen hun relaties indelen in twee categorieën: vrouwen om mee te trouwen, en vrouwen om mee te seksen. De mooie en succesvolle echtgenote is niet alleen de gerespecteerde moeder van een paar fotogenieke kinderen, maar ook een decoratief pronkstuk op feesten en partijen. De rest van de 'dames' zijn wipkippen die het haantje veren in zijn reet steken, en seksuele diensten verlenen die de heer des huizes niet (meer) aan zijn echtgenote durft te vragen. Tenminste – dat is het verhaal. Want ik geloof er eerlijk gezegd niks van. Het is het zoveelste bedenksel om mannen die eindeloos buiten de deur neuken iets van een excuus te geven. Net zoals ze nu opeens allemaal 'seksverslaafd' zijn. Tiger Woods en Jesse James laten zich naar verluidt behandelen in een kliniek om hun huwelijk te redden: 'Sorry schat, ik heb paarzucht. Da's net zoiets als vraatzucht, maar dan met hoeren.' Welja. Iedereen kan tijdens een langdurige relatie weleens gevoelens krijgen voor een ander. Het is maar net wat je met die gevoelens doet. Maar wanneer je aan achttien holes nóg niet genoeg hebt, is er volgens mij meer aan de hand.

Het opvallende vind ik echter dat er geen vrouwelijke evenknie van deze 'aandoening' is. En dat terwijl vrouwen écht niet fatsoenlijker zijn dan mannen. De Nederlandse Merith, getrouwd en moeder van een zoontje, begon een wilde affaire met Howard Donald, één van de zangers van Take That. Hoe zullen we dat eens noemen? Het papa-popstercomplex? En van een vriendin die verkering had met een schilder, weet ik dat het écht waar is: zodra vader naar kantoor is, krijgt de schilder niet zelden het verzoek van moeder om haar buitenboel ook nog even lenteklaar te maken. Is dat het sukkelschildercomplex? Waarom ook niet. Feit is dat het veelbesproken Madonna-hoercomplex niet alleen aan mannen is voorbehouden. Zo was de Engelse presentatrice Paula Yates getrouwd met Sir Bob Geldof, bedenker van Live Aid en onvermoeibaar strijder voor Afrika. Een heilige dus. Maar Paula taaide af met de razendknappe *bad boy* Michael Hutchence, de hitsige zanger van. Dus wees voorzichtig, heren, met de conclusie dat alleen mannen 'nu eenmaal' zo zijn. Veel kerels hebben zonder dat

ze het zelf weten een sprookjeshuwelijk: als ze thuiskomen zit er een heks op de bank.

Langzaam zaad

Wetenschappers hebben gewaarschuwd dat de kwaliteit van het menselijk sperma wereldwijd dermate achteruit loopt, dat mannen over zo'n 125.000 jaar alleen nog maar losse flodders zullen schieten. Vreemd genoeg is hier weinig ophef over. We krijgen dagelijks ingepeperd dat het waterpeil alsmaar stijgt, maar het feit dat het zaadpeil alsmaar daalt, is blijkbaar niet verontrustend. Toch betekent dit in de praktijk dat het verschijnsel 'man' zal uitsterven. Niet vandaag of morgen (gelukkig maar, want Richard moet eerst nog even mijn band plakken) maar evolutionair gezien wel binnen afzienbare tijd. En dan? Net zoals wetenschappers hopen dat ze het beschadigde DNA uit fossielen ooit weer tot leven kunnen wekken, zouden we alvast wat Y-chromosomen kunnen invriezen om daar later een leerzaam reservaat mee in te richten. Een leuke hangplek, waar mannen de hele dag *Top Gear* kunnen kijken en waar ze samen herinneringen kunnen ophalen aan de goeie ouwe tijd toen zij de wereld regeerden. Een beetje zoals de dinosauriërs De vrouwen gaan ondertussen gewoon door, want die hebben eigenlijk geen mannen nodig om zich te kunnen voortplanten. Iedere vrouw kan zichzelf in principe klonen door haar eigen lichaamscellen te gebruiken. Wellicht gaat dat in de toekomst ook gebeuren; anno 2050 zou de onbevlekte ontvangenis een heel andere betekenis kunnen krijgen. Maar is een wereld zonder mannen dan niet onnatuurlijk? Nee hoor. Er is geen enkele dier- of plantensoort waarbij de mannetjes zich voortplanten zonder vrouwtjes, maar andersom gebeurt het aan de lopende band. Denk alleen al aan Flora, de komodovaraan uit de Chester Zoo in Noord-Engeland, die begin januari een paar knappe eieren heeft uitgebroed zonder ooit bevrucht te zijn geweest door een mannetjesvaraan. De Noord-Amerikaanse lipvis is ook niet erg gehecht aan het traditionele mannetje: wanneer je het enige mannetje uit een aquarium haalt, verandert één van de vrouwelijke lipvissen binnen een paar dagen in een mannetje zodat zij haar collega's kan bevruchten. Zeeanemonen delen zichzelf eindeloos doormidden en ook bananen en aardappels zijn geheel vrouwelijk; ze groeien en bloeien zonder enige mannelijke inbreng. Maar als bladluizen, hagedissen, sommige kevers en de wandelende tak zich al maagdelijk kunnen voortplanten, wat betekent dit dan voor vrouwen of, zoals enkele mannen zullen zeggen: het wandelende takkenwijf? Het leven zonder mannen bespaart ons in ieder geval een heleboel tijd. Zo hoeven we op zaterdagavond niet meer uren voor de kast te staan met de prangende vraag: wat trek ik áán? Wereldvrede hoeven we echter niet te verwachten. Vrouwen denken graag dat mannen de oorzaak zijn van alle conflicten, maar sinds Margaret Thatcher als eerste vrouwelijke premier meteen de Falklandoorlog is begonnen, is dat een discutabel punt. En bovendien: iedereen die wel eens naar *Holland's Next Topmodel* kijkt, weet dat vrouwen kunnen bitchen als de besten. Nee, mannen hoeven niet helemáál weg; ze zijn best gezellig. En Moeder Natuur heeft nog zoveel aantrekkelijke varianten! Wat dacht je bijvoorbeeld van de groene lepelworm? Bij dit zeediertje is het mannetje zo'n 200.000 keer kleiner dan het vrouwtje. Hij woont in een donker hoekje van haar voortplantingsorgaan, alwaar hij

de eitjes bevrucht door sperma uit zijn mondje te spugen. Tja. Dat zet al die mannen die zo graag op straat
spugen in een heel nieuw toekomstperspectief.

Therapie in lingerie

Vorige week heb ik in het SBS-programma *Reportage* een wonderlijke 'documentaire' gezien over de Bunny Ranch, een schijnbaar legendarische hoerenkeet in het Amerikaanse Texas. Voor zo'n bekend bordeel vond ik het nogal armetierig ingericht met gebloemde spreien, witte schemerlampen en een bruinig tapijt. Maar ik begrijp heus wel dat mannen de Bunny Ranch niet frequenteren voor de kleur van het behang; ze komen daar voor hun geestelijke gezondheid. Tenminste, dat vertelde één van de geïnterviewde dames. 'Ik zie mezelf als een sekstherapeute', lachte ze. 'Wij doen hier veel goed werk.' Dat bleek maar al te waar. Ik vond het eerlijk gezegd reuze interessant om nu eens te zien met wat voor soort klanten een prostituee te maken krijgt. Voor de meeste vrouwen is een bordeel namelijk een gesloten bastion. Een ondoorgrondelijke plek waar alle mannen ooit wel eens geweest schijnen te zijn, terwijl je als vrouw geen idee hebt wat zich daar afspeelt. Ik dacht altijd aan wilde bacchanalen met mooie dames in bubbelbaden, maar dankzij de Bunny Ranch weet ik nu beter. Het is welzijnswerk op hakken. Therapie in lingerie. De eerste klant was een timide jongen van 22 jaar wiens moeder vond dat hij nu maar eens ontmaagd moest worden. Tot mijn verbijstering ging moederlief zelfs met haar zoon mee naar binnen en vertelde aan de prostituee in het peeskamertje 'dat zij hem maar eens lekker onder handen moest nemen'. Aan de bar pochte een dikbuikige man van achter in de zestig tegen een jongedame dat hij 'heel goed was met zijn tong'. Beter dan gemiddeld, voegde hij er glimmend aan toe. Terwijl ik thuis van ellende uit mijn stoel viel, bleef de prostituee enthousiast kirren van plezier. Even later zei één van de geportretteerde dames: 'Weet je waarom er geen bordelen zijn voor vrouwen? Omdat mannen geen erectie kunnen faken.' De medewerksters van de Bunny Ranch hadden echter geen enkel probleem met doen-alsof: zelfs de meest sukkelige klant werd als een ware seksgod behandeld. Dat mag ook wel, voor duizend dollar per uur. De hoerenkeet draaide soms wel een omzet van een miljoen dollar per maand, zei de trotse eigenaar, die geregeld met zijn eigen personeel van bil bleek te gaan. Daar hoefde hij niet voor te betalen, want de meeste meisjes zagen hem naar eigen zeggen als een 'vaderfiguur'. In de documentaire schitterde verder nog een echtpaar dat binnenkort ging trouwen, waarbij de vrouw haar man als verrassing een wipje in de Bunny Ranch cadeau had gedaan. En een verdrietig ogende weduwnaar die twee jaar na de dood van zijn vrouw 'weer op gang wilde komen'. Toen de prostituee in haar blote kont voor hem stond te draaien, verzuchtte hij: 'Mijn vrouw had vroeger ook zulke mooie billen.' Maar de meeste echtgenotes van bordeelbezoekers zijn verre van dood; ze zijn alleen levenloos in bed. 'Mannen durven hun vrouw vaak niet te vragen wat ze zouden willen', doceerde één van de sekstherapeuten. 'Als hun vrouw de hele dag heeft lopen poetsen, koken en stofzuigen, durft hij 's avonds niet óók nog eens om orale seks te vragen.' Ach gossie. En dat terwijl het zo makkelijk is. Je roept gewoon: 'Liefje, kun je onder de lakens nog effe verder zuigen?'

Vreemdgangers

Laatst stond er in de krant dat vrouwen net zo vaak vreemdgaan als mannen. Sterker nog: de dames gingen zelfs ietsjes vaker vreemd dan de heren. Maar eh – wisten wij dat niet allang? Over vrouwen wordt vaak zo verheven gedaan. Terwijl mannen als een stel testosteronnies oorlogen beginnen, huiselijk geweld plegen en stoeptegels van viaducten gooien, organiseren vrouwen de vredesmarsen, doen aan vrijwilligerswerk en vinden tussen alle banen door toch nog tijd voor het huishouden. Je zou het bijna gaan geloven. Maar wat deed een Amerikaanse moeder laatst toen haar vriend twijfelde of het kind wel van hem was? Ze vermoordde de baby in de magnetron. Wie werd het gezicht van het martelen van Irakese gevangenen in Abu Gharaib? De kinderlijk ogende vrouwelijke soldaat Lynndie England. En wie liet de slachtoffertjes van Marc Dutroux verhongeren in zijn kelder toen Dutroux in de gevangenis zat? Zijn echtgenote Michelle Martin. Allemaal afschuwelijke zaken waartoe vrouwen niet in staat werden geacht, maar die wel gebeurden. Nu is vreemdgaan bij lange na niet te vergelijken met de bovenstaande voorbeelden, maar feit is dat het veel mannen zal verbazen dat vrouwen ook op dit terrein niet voor hen onderdoen. Het zal ze zelfs irriteren, want net zoals autocoureurs er een hekel aan hebben om op het circuit van Zandvoort door een vrouwelijke rijder te worden geklopt, zo vinden veel mannen dat vreemdgaan hoofdzakelijk hún domein is. De acteur Egbert Jan Weber zei onlangs in *Viva* dat 'vreemdgaan voor mannen iets biologisch is. We moeten ons zaad kwijt en zo veel mogelijk nakomelingen maken om de soort te behouden.' Maar ja, aan wíé moeten deze mannen dan precies hun zaad kwijt? Zoveel ongetrouwde secretaresses zijn er nu ook weer niet. Zou Egbert Jan derhalve ook de keerzijde van zijn oerdrifttheorie kennen? Daarin heten de mannen wel de jagers, maar zijn de vrouwen de verzamelaars. Om de kans op een sterk nageslacht te vergroten, moest de holenvrouw namelijk van zo veel mogelijk verschíllende mannen een kind krijgen.

En dus klimt de sexy Gabrielle uit *Desperate House-wives* zonder enige wroeging op de jonge tuinman, terwijl haar onwetende echtgenoot Carlos haar blijft overladen met sportauto's en juwelen. Eén ding kunnen trouweloze vrouwen beter dan hun mannelijke soortgenoten en dat is zwijgen als het graf. De enige die Gabrielle doorheeft is een andere vrouw: haar schoonmoeder. Veel mannen die vreemdgaan willen uiteindelijk toch opscheppen over hun daden, of nog erger: ze opbiechten. Dan leggen ze het probleem bij jou en dan moet jij hen maar vergeven omdat ze zo eerlijk zijn geweest. In een groepsinterview in het maartnummer van het blad ΛM zei ene Hans dat hij tijdens zijn huwelijk nooit was vreemdgegaan, 'maar er is af en toe wel seks geweest. Vreemdgaan zie ik meer als een relatie hebben naast je relatie en dat zou ik nooit doen.' Dat is heel geruststellend, Hans, maar het verbaast me niet dat je inmiddels bent gescheiden. Hebben mensen wel talent voor trouw? Is het: 'tot de dood ons scheidt' of komen we niet verder dan: 'tot de schijt ons doodt'? Zelf denk ik dat trouw het uitgangspunt moet zijn. Of, zoals de wulpse Mae West het ooit zo meesterlijk zei: 'Ik ben helemaal niet losbandig. Ik heb het liefst één man. Per keer.'

Porno voor vrouwen

Toen diverse politieke partijen vorige maand een verbod eisten op de zogeheten 'pornofeesten', dacht ik aan obscure uitwassen in het jongerencircuit. Niks daarvan. Dit soort 'urban and porn'-danceparty's blijken razend populair dankzij de orale en vaginale seks op het podium. Gewoon, voor de leuk. Het gebeurt ook in alle openheid, bij een willekeurige discotheek om de hoek. Zo had je tot voor kort de wekelijkse 911-danceparty's in Zaandam. Daar konden meisjes uit het publiek meedoen aan pijpwedstrijden. Wie het beste haar orale kwaliteiten kon demonstreren, werd door de jury uitgeroepen tot lekkerste pijpslet van de avond. Gewoon, als geinig extraatje ter verhoging van de feestvreugde. Ben ik heel ouderwets als ik dit allemaal níét gewoon vind? Zijn pijpwedstrijden in discotheken een bewijs van emancipatie of van capitulatie? Bepalen de jonge vrouwen van nu zélf hoe zij hun seksualiteit willen beleven of worden zij meer dan ooit gestuurd door videoclips, pornofeesten en seksfilms? Feit is dat onze samenleving in een snel tempo seksualiseert. Op Google wordt het woord 'seks' maar liefst 68 miljoen keer per dag ingetikt. Per jaar worden er bijna 15.000 pornofilms gemaakt, tegen zo'n 400 Hollywoodfilms. Dat soort aantallen moet wel effect sorteren, en dat gebeurt dan ook: vanuit de porno-industrie waaien allerlei gebruiken over naar het dagelijks leven. Zoals figuurtjes in je schaamhaar, waaronder de landingsbaan en de kale pet. En natuurlijk de schaamlipverkleining, 'voor als je binnenvoering eruit ligt', aldus een internetpagina. Recentelijk is daar zelfs iets absurds als het bleken van de anus aan toegevoegd, 'voor lelieblanke rectale frisheid'. Zelfs de oerdegelijke Huishoudbeurs koos voor een pikant thema, vanwege de oplaaiende belangstelling van vrouwen voor porno, vibrators en andere seksartikelen. Ook het boek Stout was een bestseller met hete ontboezemingen van, pak 'm beet, Willeke Alberti. Vrouwen blijken steeds vaker naar pornofilms te kijken en daar ook van te genieten. Het blijkt een fabeltje te zijn

55

dat vrouwen van seksfilms 'met een verhaal' zouden houden. Ja, dát begrijp ik. Bij een snackbar hoef je toch ook geen ober met een chique menukaart? Niks ambiance – je komt voor de vette bek. Bespáár me die idiote toneelstukjes van getatoeëerde bouwvakkers die voor piloten moeten doorgaan met een stel hyperblonde opblaaspoppen als stewardessen. Zet dat mens toch gewoon meteen op die stuurknuppel; porno is geen Shakespeare. Hoewel? Een rechter oordeelde onlangs dat peepshows op de Wallen 'toneelvoorstellingen' zijn, waardoor zij onder het culturele btw-tarief van zes procent vallen, net als muziek- en theateruitvoeringen. Zoiets kan alleen in Nederland; dat is een stukje rectale frisheid waar we trots op mogen zijn. Pijpwedstrijden, live-seks op dancefeesten – als moderne vrouwen hier allemaal vrijwillig deel van willen uitmaken, moeten ze dat vooral doen. Maar willen ze dat écht? Volgens een anoniem gebleven Amerikaanse groep vrouwen niet. Zij maakten een spannend fotoboek, getiteld: *Porn for Women*, en verzamelden daarin de meest opwindende vrouwenfantasieën. Zo staat er op één foto een knappe kerel in leuke kleren te stofzuigen. Een ander smakelijk ding serveert geheel gekleed taart, koopt bloemen, luistert geïnteresseerd naar wat je te zeggen hebt. Ja mensen, dat is pas echt keiharde porno. Want volkomen onrealistisch. Maar lekker!

BH als barometer

Uit een onderzoek is gebleken dat bij mannen, wanneer zij een mooie vrouw in lingerie zien, het verstand even op nul gaat. Letterlijk. Ze zijn dan een paar seconden handelingsonbekwaam. Er is al vaker gewaarschuwd voor grote lingeriebillboards langs de snelweg, en dat blijkt dus terecht: mannen zijn meer gefocust op achterwerken dan op achterlichten. Volgens Ky Henderson van *modernman.com* denken mannen heel wat te kunnen afleiden uit de kleur bh die een vrouw draagt; een rode bh zou bijvoorbeeld duiden op een gepassioneerd en avontuurlijk karakter. De draagster van een zwarte bh schatten mannen in als sterk en verleidelijk; bij roze vermoeden ze een romantische inslag en wit verraadt een onschuldig maar leergierig type. Hartstikke leuk allemaal, maar wat draagt 72% van de Nederlandse vrouwen het liefst? Een huidskleurige bh. Lekker praktisch, want die schijnt nergens doorheen. Geen wonder dat de meeste mannen met een heel ander setje thuiskomen dan jij zelf zou hebben uitgekozen; ze hebben er blijkbaar heel andere associaties bij – en het woord 'functioneel' is er daar niet één van.

Maar volgens Henderson hebben mannen ook bepaalde ideeën over het soort bh dat je draagt. Zo denken mannen dat de multiway-bh (met extra bandjes die je op verschillende manieren kunt dragen) laat zien dat je 'net zo van gadgets en attributen houdt' als zij. Echt? En ik maar denken dat het gewoon een handig ding is. Een strapless bh wordt volgens mannen gedragen door 'vrijgevochten types die bijvoorbeeld ook bungeejumpen'. Bungeejumpen? In een strapless bh? Ik begrijp dat dát een leuke kijksport is, maar erg realistisch lijkt het me niet. Maar het mooiste is nog de bh met de voorsluiting: mannen menen hier uit af te leiden dat je niet alleen makkelijk bent in de omgang, maar ook makkelijk met de toegang. Tenminste, dat zeggen ze op *modernman.com*. Daar weten ze ook dat de draagster van een push-up bh 'flirterig' is, en vrouwen met een beugel-bh 'ondersteuning op alle vlakken zoeken'. Tjonge. Zou er ook zo veel psychologie in een herenslip zitten?

Nou... nu ik er over nadenk: die ondergoed-advertenties van David Beckham hebben behoorlijk wat inhoud. En diepgang. En wat al niet meer. (Maar even serieus: doet die man een blikje cola in zijn slip? Of wat? En hoe is het mógelijk dat Victoria Beckham nooit lacht?) Hoewel ik niet geloof dat je het karakter van een vrouw kunt afleiden uit het type bh dat ze draagt, denk ik wel dat dat de meeste vrouwen verschillende lingeriesetjes in huis hebben voor verschillende momenten. Als je gaat solliciteren kies je waarschijnlijk voor een *minimizer*, maar bij een avondje stappen is het tijd voor de *maximizer*. Een vriendin van mij heeft een speciaal reanimatie-setje wat onderuit de la komt als er sprake is van een relationeel dipje. 'De bh als barometer van een relatie' gaat misschien wat ver, maar feit is dat manlief niet erg opleeft van een uitgelubberd en grijsgewassen exemplaar. De kortsluiting die zich voordoet in het mannenbrein kun je als vrouw ook in je voordeel gebruiken. Wanneer je thuis iets gedaan wilt krijgen,

60

zou ik het eens proberen terwijl je toevallig een rood lingeriesetje draagt – gestotter én succes verzekerd.

Zo krijg je geen seks

Aanstaande donderdag is het weer Valentijnsdag. Hoewel uit een onderzoek is gebleken dat bijna 66% van de Nederlanders deze 'dag van de liefde' te commercieel vindt, denk ik dat er nog genoeg (stille) geliefden zijn die elkaar wél zullen gaan verrassen met iets speciaals. Niet dat mannen en vrouwen hierbij helemaal op hetzelfde spoor zitten. Zij wil een kaartje, een bos rozen of een kettinkje. Hij wil seks. Zij denkt aan een etentje, een concert of aan de *loveseat* van Tuschinski. Hij denkt aan seks. Maar ondanks het feit dat mannen buitensporig veel aan seks denken, blijven zij wonderbaarlijk klunzig in hun pogingen om een vrouw in bed te krijgen. Op internet is er zelfs een hele site aan gewijd: www.hntgl.com. Dat staat voor 'how not to get laid', oftewel: hoe je geen seks krijgt. Deze site staat vol met ingestuurde *real-life* verhalen over desastreuze dates, verkeerde opmerkingen en andere valkuilen die één ding duidelijk maken: zó krijg je als man in ieder geval geen seks. Vooral in de precaire tijd rond het eerste afspraakje weten mannen zich niet altijd even gracieus (of moet ik zeggen: geestelijk gezond?) te presenteren. Zo was er een man die de vrouw van zijn dromen kort vóór hun eerste date een foto mailde van zijn blote geslachtsdelen. Begeleidende tekst: 'En, ben je al onder de indruk?' Ja, van je stupiditeit. Een andere man zat tijdens het eerste etentje uitgebreid te vertellen dat hij het met zijn vorige vriendin had moeten uitmaken 'omdat hij nu eenmaal enorm groot geschapen was'. En zijn ex-vriendin was nogal smalletjes geweest, dus ja, dat ging niet. Maar, zo ging hij vrolijk verder, 'jij ziet er niet erg smalletjes uit, dus dat probleem hebben wij niet.' Weer een andere man zei tegen een vrouw met wie hij voor het eerst uit-eten ging: 'Ik zou maar geen dessert nemen, popje, want het échte toetje komt er nog aan.' En toen liet hij niet één maar twee Viagra-pillen zien. Mijn god, wat een narigheid allemaal. Door al deze verhalen ging ik natuurlijk meteen nadenken of ik ook eens zoiets heb meegemaakt. En ja hoor! Opeens herinnerde ik mij een afspraakje dat ik ooit had met een bekende Nederlander, in de tijd dat ik nog modellenwerk deed. Het was een knappe man (nee, geen namen) en eerlijk gezegd vond ik het best interessant allemaal. Toen ik in zijn auto stapte, zei hij: 'Gôh, wat zie je er mooi uit!' Maar voordat ik dankjewel kon zeggen, voegde hij daaraan toe: '... maar dat moet ook wel, want ik kan natuurlijk niet zomaar met iedereen gezien worden.' Nee, daar is geen tweede date van gekomen. Dus heren, willen jullie scoren op Valentijnsdag, doe dan normaal. Weersta bijvoorbeeld de verleiding om je geslachtsdeel door de onderkant van een popcorndoos te steken. Pik een bioscoopje is níét letterlijk bedoeld. En zeg niks over haar parfum. Zo schreef een vrouw dat haar date op hun eerste afspraakje in haar nek zat te snuffelen en zei: 'Hmm, je draagt dezelfde geur als mijn moeder.' 'Dat vind ik niet echt opwindend', stamelde de vrouw verbaasd. Waarop de man zei: 'Ik wel hoor, want het is echt een sexy luchtje...'

Roboseksueel

Binnen afzienbare tijd zal het heel normaal zijn om seks te hebben met een robot. Mensen gaan zelfs zo gehecht raken aan hun robot, dat ze er in de nabije toekomst mee zullen gaan trouwen. Aldus David Levy in zijn proefschrift *Love and Sex with Robots*, waarmee hij onlangs promoveerde aan de Universiteit van Maastricht. Daar moest ik toch wel even over nadenken. Seks met een *robot*? (Ik hoor mensen al mopperen: 'Nou eh – wat is precies het verschil? Ik heb nu ook mechanische seks: stekker d'r in, even doorsmeren, en stekker d'r weer uit.') Toch is het helemaal niet zó vergezocht, want een heleboel mannen hebben reeds een liefdesrelatie met een pop. Dat begon al meer dan tweeduizend jaar geleden met de Griekse mythe van de beeldhouwer Pygmalion, die alle vrouwen te zondig vond om mee te trouwen. En dus maakte hij zelf een marmeren beeld van zijn ideale vrouw, noemde haar Galatea en overvoerde haar met cadeautjes en liefkozingen. Uiteindelijk bracht de godin Aphrodite het prachtige beeld tot leven. Blijkbaar is dit een soort oerwens: een mooie, brave en gewillige partner die je naar eigen believen in elkaar hebt geknutseld. In Amerika is vorige week met veel succes *Lars and the real girl* in première gegaan. In deze romantische komedie speelt Ryan Gosling de verlegen Lars, die dolverliefd zijn nieuwe vriendinnetje aan zijn vrienden en familie gaat voorstellen. Deze Bianca is echter geen mens, maar een RealDoll. Dit zijn levensechte siliconen sekspoppen, die ondanks hun prijs (tussen de zes- en tienduizend dollar) razend populair zijn. Toen ik op de site van RealDoll ging kijken, wist ik gewoon niet wat ik zag: je kunt daar vrouwen bestellen in alle soorten en maten, met – jawel – 'drie bruikbare lichaamsopeningen'. Met 'bruikbaar' zullen ze wel niet bedoelen dat de mond echt kan praten, want de RealDoll-kopers vinden het vooral fijn dat hun poppie lekker zwijgzaam is. Maar stel dat zo'n Bianca dankzij nieuwe robottechnologie ook nog zou kunnen poetsen en koken! Dan benaderde zij voor veel mannen ongetwijfeld het droombeeld van de ideale vrouw. Mooi, stil en zuinig – alleen na gebruik even afsoppen met een doekje. Al doet ze dat waarschijnlijk ook nog zelf. Over het enthousiasme bij de mannen maak ik me dus geen zorgen. Naast hetero en homo is er ongetwijfeld genoeg animo voor roboseksueel. Maar is het ook iets voor vrouwen? Je hebt al Roomba, de robot stofzuiger en RoboMow, een zelfdenkende grasmaaier. Zoeken vrouwen daarbij nog een emotiearme dekhengst? (Nogmaals: wat is het verschil?) Bij RealDoll weten ze het ook niet zeker. Daarom hebben ze nu heel voorzichtig één man aan hun assortiment toegevoegd: Charlie. Helaas lijkt deze sekspop 'met drie opzetstukken in verschillende staten van opgewondenheid' meer op een zombie uit *Madame Tussauds*. Nee, dan de razend knappe acteur Jude Law. Die speelde een aantal jaren geleden in de sciencefictionfilm *A.I.* een seksrobot genaamd Gigolo Joe. Kijk – zo'n prettige robot zou de dames wel over de streep trekken. Maar ja, vrouwen en techniek, dat is uiteindelijk toch geen gelukkige combinatie. Want stel, je seksrobot gaat stuk. Moet je dan met de ANWB bellen om 'm weer aan het rijden te krijgen?

Fantasieën

Er is weer eens een nuttig onderzoek gedaan. Vrouwen blijken in bed het liefst te fantaseren over... brandweermannen. Echt? Ik zie die attractie niet zo. Ik bedoel – tegen de tijd dat er zo'n besnorde spuitgast aanbelt, slaan de vlammen meestal uit de bovenverdieping. Vind ik niet zo opwindend. Maar misschien is het meer het *beeld* van een brandweerman: stoer pak aan, grote spuit in de hand. Volgens mij wil de moderne vrouw diep van binnen nog steeds graag 'gered' worden. De nummers twee en drie op de lijst van seksuele fantasieën zijn namelijk soldaten en politieagenten. Is het de dikke knuppel? Of misschien toch dat sexy camouflagepak? Best handig, zo'n man die je na gebruik onzichtbaar in de tuin kan zetten. Uniformen kunnen heel opwindend zijn, dat geef ik toe. Denk alleen al aan Richard Gere in *An Of-*

ficer and a Gentleman. Maar een uniform kan ook bedrieglijk werken, want het ding moet toch een keer uit. Ik noem dat het skileraarsyndroom: zonder die rode overall blijkt Der Stefan een gewone Oostenrijkse veehouder te zijn. (Stefan kan het pak natuurlijk ook aanhouden, maar de ervaring leert dat hij dan heel voorzichtig moet zijn met de rits.) Toen Jennifer Aniston nog getrouwd was met Brad Pitt, speelde hij in de film *Troy*. Als de held Achilles droeg Pitt een kittig harnas dat historisch gezien ongetwijfeld een aanfluiting was, maar oh – wat een lekker tuigje. Pitt vertelde destijds in een interview dat Aniston had gevraagd of hij dat leren pakje in bed wilde aanhouden. Ja, dát kan ik begrijpen. Ik vind dat soort historische kostuums ook helemaal geweldig. Denk maar aan Clive Owen in *King Arthur*. Maar ja, die man mag van mij alles aan. Of uit, daar doe ik niet moeilijk over. Uit het bovengenoemde onderzoek is gebleken dat veertig procent van de vrouwen ook wel eens fantasieën heeft over een beroemdheid. Daar hoor ik ook bij. Ik vind drie dingen lekker: chocolade, een warm bad en Clive Owen. Of nog beter: Clive Owen in een bad van warme chocolade. Maar voor ik helemaal afdwaal – waar fantaseren mannen eigenlijk over? Willen die ook 'gered' worden uit de dagelijkse sleur? Nee, niet bepaald. Mannen willen juist graag verzorgd worden. Hun favoriete seksuele fantasiefiguur blijkt de verpleegster te zijn. Op de tweede plaats komt het kamermeisje en op de derde plaats de stewardess. Verzorgen, zuigen en bedienen: de mannelijke belevingswereld in een notendop. Wonderlijk eigenlijk, dat de droombeelden van mannen en vrouwen zo ver uit elkaar liggen. De prins op het witte paard voor de één en het dienstertje met het witte schort voor de ander. Zouden hier echt diepgewortelde verlangens aan ten grondslag liggen, of zijn dit juist de meest populaire fantasieën omdát ze zo onrealistisch zijn? Want zeg nou zelf: wie wil er nu werkelijk door oom agent in een wielklem worden genomen? Andy Warhol heeft eens gezegd dat de gefantaseerde liefde veel beter is dan de werkelijke liefde: '*Het* nooit doen, is erg opwindend. De meest opwindende verliefdheden zijn die tussen twee uitersten die elkaar nooit zullen krijgen.' Klinkt aannemelijk. Maar als Clive Owen morgen voor de deur staat met een chocoladefondue, gaan de buren geheid de brandweer bellen!

Uitgekleed

Het is crisis. Dus wat te doen, als jonge vrouw die haar rekeningen, studiekosten of designer tas niet meer kan betalen? Je wordt prostituee. Je noemt het alleen anders. In Amerika is behoorlijk wat discussie ontstaan over populaire 'datingsites' als SeekingArrangement.com en SugarDaddiesMeet.com, die jonge studentes van prestigieuze universiteiten als Harvard en Princeton in contact brengt met rijke oude mannen die hun studiekosten willen betalen. De tegenprestatie? 'Samen tijd doorbrengen'. Het woord seks zul je op deze sites uiteraard niet terugvinden, want prostitutie is bij de wet verboden. Maar ik stel me zo voor dat de *sugar daddies* er geen genoegen mee nemen dat de door hen gefinancierde studentes komen voorlezen uit Homerus. Ik weet niet zo goed wat ik hiervan moet vinden. Is dit nu feministisch, of juist helemaal niet? Is dit een extreme gevolgtrekking van 'een slimme meid is op haar toekomst voorbereid', of oude wijn in nieuwe zakken? Of beter gezegd: in oude zakken, want de geldschieters zijn meestal flink wat jaartjes ouder dan de 'noodlijdende' studentes.

Natuurlijk kunnen jonge vrouwen op oudere mannen vallen. Maar zodra mannen voor het gezelschap van deze dames moeten betalen, krijgt het voor mij toch een ietwat ranzig tintje. In Amerika bestaan er – op een aantal uitzonderingen na – geen studiebeurzen. De meeste studenten, zowel de jongens als de meisjes, moeten er dus een baantje bij zoeken om in hun levensonderhoud te kunnen voorzien. Misschien dat broodjes klaarmaken in een lunchtent minder oplevert dan zakenmannen klaarmaken in een villa, maar er is toch ook nog zoiets als moraal? Of ben ik nu heel ouderwets? Natuurlijk is het een schande dat studeren in Amerika zo ongelooflijk duur is. En misschien gaan we in Nederland ook die kant op als de basisbeurs straks wordt vervangen door een leenstelsel. Zouden Nederlandse studentes met een torenhoge studieschuld dan ook op zoek gaan naar een *sugar daddy?* Feit is dat jonge vrouwen het oudste beroep ter wereld volop krijgen voorgeschoteld als een dood-normale carrièrekeuze.

Neem alleen al de filmwereld. Ik las dat het topmodel Agyness Deyn haar eerste grote filmrol gaat spelen. Als wat? Als stripper natuurlijk. Het lijkt wel of de gemiddelde scenarioschrijver geen enkel ander vrouwenberoep kan bedenken dan hoer of stripper. Halle Berry, Natalie Portman, Jodie Foster, Julia Roberts, Charlize Theron, Nicole Kidman, Penelope Cruz, Kirstin Stewart – ze zijn allemaal aan de beurt geweest. Ik begrijp dat niet iedereen tandarts of hartchirurg kan zijn, maar waarom altijd hoer of stripper? Het lijkt wel of het erbij hoort. Dan is het toch niet zo verwonderlijk dat jonge meiden denken: 'Mwah, zo erg is het allemaal niet'? Ze groeien er mee op. Dat films fictie zijn doet daar niets aan af, want ook in het echte leven blijken er volop mannen te zijn bij wie studentes nog een extra mondeling kunnen komen doen. Is dit gewoon 'seks met instemming van twee volwassenen', zoals voorstanders betogen? Ik weet het niet. En hoe zouden deze toekomstige advocates en psychologen later zelf op

73

hun 'studiefinanciering' terugkijken? Ik denk dat ik wel weet wat ze gaan zeggen: 'Tja, ik was uitgekleed door de crisis.'

Orgasme

Laatst schreef ik in deze column dat ik wel eens zou willen weten wat mannen denken tijdens de seks. Ik vermoedde dat het geen diepgravende emoties waren over innigheid, verstrengeling of eeuwigdurende liefde, maar meer iets in de trant van: 'Ummpff!'. Dat blijkt te kloppen. Maar nu de verrassing: dit geldt óók voor vrouwen. De Nederlandse wetenschapper dr. Gert Holstege van de Rijksuniversiteit Groningen heeft enige tijd geleden baanbrekend onderzoek verricht door de hersenen van mannen en vrouwen die door hun partner tot een orgasme werden gebracht met een PET-scan te observeren. (Tja mensen, iémand moet het doen.) En wat bleek? Tijdens het hoogtepunt gaat het brein tijdelijk in de slaapstand; bij vrouwen zelfs nog meer dan bij mannen. Geen wonder dat ze een orgasme in Frankrijk ook wel *le petit mort* noemen: de kleine dood. De meeste hersen-functies springen bij het klaarkomen letterlijk op nul. Wél blijkt er veel bloed naar het 'beloningsgebied' te stromen. Dit is hetzelfde gebied dat wordt geprikkeld wanneer heroïne- en cocaïneverslaafden hun roes be-leven. Vrouwen ervaren tijdens een orgasme dus een explosieve *high* – maar geen emoties. Dat deel van de hersenen lichtte namelijk helemaal niet op. Ook het deel waar liefde en genegenheid zetelt, kreeg geen extra aandacht tijdens een seksueel hoogtepunt. Zo, daar moest ik even over nadenken. Want wacht eens even – hoe zit het dan met de innigheid, de verstren-geling, de eeuwigdurende liefde? Vrouwen, zo is ons altijd geleerd, doen toch niet aan seks zonder liefde? Dat konden wij toch niet uit elkaar houden? Nou, ons brein in elk geval wel. Voor je hersenen is het gewoon knallen, zo'n orgasme. Daar komt geen spatje roman-tiek bij kijken. Opvallend is trouwens dat dr. Holstege heeft ontdekt dat een neporgasme (beter bekend als de 'Meg Ryan') wél veel activiteit teweegbrengt in de vrouwelijke hersenen. Wanneer een vrouw net doet alsof ze klaarkomt, is het emotionele deel van het brein bijzonder actief. Ja, geen wonder. Zo'n nepperd moet je toch een beetje netjes timen. Liefst voordat het begint te schuren en zo. En als je dáár allemaal over gaat nadenken (en over de strijk, het aanstaande bezoek van je schoonmoeder, de luizencontrole op school) zit je niet meer echt in de zone. Want ook dat heeft dr. Holstege achterhaald: vrouwen hebben een rustige, veilige en niet-afleidende omgeving nodig om tot een hoogtepunt te kunnen komen. (Laatst op YouTube dat Engelse stel in die glazen telefooncel gezien? Vast niet háár idee.) En vrouwen willen geen koude voeten; maar dat blijkt ook voor mannen te gelden. Serieus – als het koud was in de PET-scankamer hadden veel stelletjes moeite om tot een climax te komen. Hield het koppel echter hun sokken aan, dan klom het percentage geslaagde orgasmes van vijftig naar tachtig procent. Wauw, wat heeft de wetenschap ons hiermee weer een juweeltje aangereikt. Want opeens begrijp ik waarom pornoacteurs zo vaak hun sokken aanhouden. En het biedt perspectieven voor de echtelijke sponde. Want hoeveel vrouwen gaan er niet graag met een paar lustverlagende wollen breisels naar bed? Nu kun je manlief verwijzen naar de Rijksuniversiteit Groningen. Lieve schat, het is wetenschappelijk bewezen. Vanaf vandaag zeg ik: lichten uit en sokken aan.

Vuur

Als er één ding is dat ik associeer met de gezellige win-
termaanden, dan is het wel de open haard. Staren in
het vuur doet iets met je. Ik heb eens een psycholoog
horen uitleggen dat tv-kijken de moderne variant is
van samen rond het kampvuur zitten. Net zoals de
primitieve jagerverzamelaar tot rust kwam door in de
grillige vlammen te staren, zo ontspant de hedendaag-
se mens door het kijken naar het bewegende beeld van
de 'toverdoos'. Maar daar waar het televisie-aanbod
mij nog wel eens wil ergeren (hoeveel kookprogramma's kan een mens verdragen?), blijft het staren in een
knapperend vuur onverminderd meditatief. Gesprek-
ken rond een open haard of een kampvuur gaan als
vanzelf de diepte in; de behaaglijke warmte en de ver-
trouwde gloed nodigen als het ware uit om jezelf bloot
te geven. Maar zoals bij de meeste dingen die de moeite

waard zijn, krijg je een goed vuur niet cadeau. Je moet het eerst aanmaken, en dat vergt behoorlijk wat aandacht en geduld. Datzelfde geldt ook voor de liefde.

Waar de mannelijke seksuele driften zich nog het beste laten vergelijken met een electrische open haard (één druk op de knop en hij springt aan), is de vrouwelijke lustbeleving meer een ouderwetse houtkachel. Wanneer ze op de goede manier wordt opgestookt, geeft een houtkachel veel meer hitte af dan de electrische variant, maar het vraagt om een kundige hand en de juiste techniek. Én om geduld – en laten de heren daar nou net niet veel van hebben. Dat begint al jong. Wij hadden vroeger thuis wel verwarming, maar die mocht nooit aan want in het kleinste dorp van Nederland stookten we noodgedwongen nog op aardolie en dat was peperduur. De enige bron van warmte in ons huis was een houtkachel. Toen mijn ouders op een koude novemberdag niet thuis waren, besloten mijn broer en de buurjongen om die kachel zelf maar eens aan de praat te krijgen. Mijn moeder gebruikte daarvoor altijd een uitgekiend systeem van kleine aanmaaktakjes en opgerolde kranten, maar voor de jongens ging dat niet snel genoeg.

Een kopje brommerbenzine – dat deed vast wonderen. Ik zei nog: 'Is dat niet gevaarlijk?', maar hup, daar ging de benzine al de kachel in. In een fractie van een seconde schoot een enorme steekvlam vanuit de kachel de benzinestraal omhoog, zó het kopje in. De buurjongen liet het kopje vallen, en binnen *no time* stonden de vloertegels in brand. (Kijk, en dáárom, lieve Emma en Alec, laten ouders hun kinderen niet graag alleen!) Met een paniekerige emmer water hebben we alles kunnen blussen, maar wat te doen met de verbrande tapijttegels? Gelukkig hadden mijn ouders precies dezelfde tegels op hun slaapkamer liggen. En dus hebben we hun loodzware bed opgetild, daar een paar ongeschonden vloertegels vandaan gehaald, en de verbrande exemplaren ervoor teruggelegd. Je kunt je voorstellen dat mijn ouders heel erg verbaasd waren toen ze een paar jaar later gingen verhuizen.

Nee, een goed vuur krijg je niet cadeau. En hoe knus en vertrouwd zo'n open haard ook is, je moet altijd je verstand erbij houden. Want ook daarin is een vuur te vergelijken met de liefde: het kan je hart verwarmen, maar ook je huis afbranden.

Droge seks

Vorige week las ik in de krant dat stress, in tegenstelling tot wat er lang gedacht is, juist jong en gezond maakt. In dat geval heb ik net een heel ongezonde vakantie achter de rug, want ik heb twee weken lang he-le-maal niets gedaan. Er zijn mensen die in hun vakantie graag door Nepal trekken, de Amazone afzakken of naar Machu Picchu willen klimmen, maar ik heb met de kinderen het SpongeBob Barricadespel gespeeld, het Dora-kwartet gelegd en een Incredibles-puzzel van 250 stukjes in elkaar gezet. Daar is óók een bepaald uithoudingsvermogen voor nodig. Verder heb ik alleen gelezen. En dan niet zozeer romans (volgens mij ben ik de enige ziel in Nederland die noch *De Eetclub* noch *De Da Vinci Code* heeft gelezen), want tussen 'Mamamama!' en 'Bommetjeeee!' kan ik me daar toch niet op concentreren. Nee, ik lees tijdschriften. Tientallen. Thuis heb ik al een stuk of vijftien abonnementen, maar op vakantie ga ik pas echt los. Inmiddels weet ik dan ook alles over David en Victoria Beckham, want die twee zijn niet uit de internationale bladen te sláán. Bij mij thuis steekt er één fotograaf per kwartaal zijn telelens door de heg, maar bij Posh en Becks zijn dat er tien per kwartier. En nu heeft hun voormalige kindermeisje ook nog voor veel geld verklikt dat *Goldenballs* (lees: David) 's nachts ging buurten in de slaapkamer van Victoria's schoonheidsspecialiste. Ik geloof er niks van. Slaapt Posh soms met nagellak in haar oren? Ik word al wakker als Richard een glas water gaat halen – laat staan wanneer hij een schoonheidsspecialiste zou gaan bijvijlen. Nu maar hopen dat Becks het bij droge seks heeft gehouden, want in de Engelse *Glamour* heb ik gelezen dat er bij een tongzoen 40.000 parasieten en 250 soorten bacteriën van eigenaar verwisselen, plus nog 0,7 gram proteïne, 0,45 gram vet en 0,19 gram andere organische substanties. Kijk, dat is informatie waar je wat aan hebt. Volgens de Amerikaanse *Cosmopolitan* kun je ook je boterhammetje maar beter in de kantine eten: uit een onderzoek van de universiteit van Arizona is gebleken dat er zich op het gemiddelde

82

bureau vierhonderd keer zoveel bacteriën bevinden als op de bril van een openbaar toilet – vandaar waarschijnlijk de term 'kantoorpik'.

Uit de Amerikaanse *Cosmo* komt ook het nieuws dat dierenartsen steeds vaker plastische chirurgie toepassen op honden: er worden niet alleen rimpelkinnen gelift en losse vellen strakgetrokken, maar ook siliconenballetjes geïmplanteerd bij gecastreerde viervoeters. De Engelse *Elle* adviseert om deze zomer je haar te dragen 'alsof je net van een jacht komt'. Nu ga ik tamelijk jachtloos door het leven, dus wellicht helpt het als ik mijn hoofd uit een autoraampje steek. Ik wil wel een beetje hip blijven natuurlijk, al brengen die modebladen mij soms hevig in verwarring. Zo schrijft de Amerikaanse *Elle* zeer stellig dat je 'nooit, maar dan ook nóóit' gestreepte sokken bij gestreepte schoenen mag dragen, maar hun eigen covermodel, de pas vijftienjarige Riley Presley (inderdaad, het kleinkind van Elvis) draagt precies dát: gestreepte sokken in gestreepte schoenen. Tja. Misschien mag zoiets alleen als je jong en beeldig bent. En dat word ik helaas nooit meer, want daarvoor heb ik veel te weinig stress.

Playboy

Van een Amerikaanse vriendin van mij kreeg ik vorige week het superdikke koffietafelboek *The Playboy Mansion*, over het infameuze partypaleis van *Playboy*-oprichter Hugh Hefner. Deze ultieme mannendroom is alweer ruim veertig jaar *in full swing*, al hebben de frivole festiviteiten in de jaren negentig een beetje op hun kont gelegen door Hefners huwelijk met Playmate Kimberly Conrad. Maar die hobbels zijn inmiddels ook weer uit de weg, dus The Playboy Mansion is bezig aan zijn tweede jeugd. Op de vele kleurenfoto's in het prachtige boek zie je 'Hef', zoals-ie door vriend en vijand wordt genoemd, alleen maar ouder en grijzer worden, terwijl de blonde Bunnies op een jaar of twintig zijn blijven steken. Hoewel Hugh Hefner het geniale IQ van 153 bezit, is de man zo gek als een deur. Want wie loopt er anders al bijna een halve eeuw

in een zijden kamerjas en heeft op z'n 76ste nog 'verkering' met drie wulpse blondines? ('It's all Viagra',
zei hij tegen Ruby Wax.) Hef is al vaak een kluizenaar
genoemd, maar daar is hij heel duidelijk in: 'Waarom
zou ik mijn huis verlaten', zei hij eens tegen de Amerikaanse *Esquire*, 'als ik thuis alles heb wat ik me zou
kunnen wensen?' En inderdaad: de ouwe baas heeft
bijvoorbeeld een eigen 'Grotto', een rotsachtige lagu-
ne waar zijn Playmates elkaar eens lekker kunnen in-
zepen. Een man zou voor minder thuisblijven. Ik had
overigens bijna zelf in die Grotto gezeten. Na mijn
historische optreden in de James Bond-film *Tomorrow
Never Dies* (4.37 minuten *screentime* op de kop af), wilde
de Amerikaanse Playboy een 007-reportage met me
doen. Omdat ik mezelf niet bepaald met een banaan
in mijn mond en twee nietjes door mijn buik in een
blad zag liggen, heb ik het recht bedongen om de hele fotoshoot zelf te mogen produceren. Uiteindelijk is
de zwart-witte serie aan acht landen verkocht, waarbij
de Duitse Playboy opende met de geweldige Jiskefet-
koptekst: 'Bondgirl Daphne packt ihre Waffen aus!'
Hoewel mijn ouders bijna van de bank zijn gevallen
van ellende (nee, paps en mams – ik zal het noooit
meer doen), vond ik het een geweldige belevenis. Ze-

ker toen ik een goudgerande uitnodiging in de bus zag vallen voor een exclusief James Bond-feestje in de Playboy Mansion. Dat wilde ik wel eens meemaken! Maar ja, toen ze hoorden dat ik zes maanden zwanger was, werd ik ijlings gedesinviteerd. Een zwangere Playmate in Grotto – het moet niet gekker worden. Voor mij was het daarmee over-en-sluiten, maar de combinatie Playboy-James Bond blijkt na al die jaren nog steeds een magische aantrekkingskracht te hebben. Ik krijg nog iedere week brieven van over de hele wereld waarin James Bond-fans of Playboy-fetisjisten een foto met handtekening vragen. Ik heb dat heel lang braaf gedaan, totdat ik doorkreeg wat ze daarmee doen. Zo wordt mijn handtekening op internet te koop aangeboden voor $15, tussen die van Danny de Vito ($19) en Ellen DeGeneres ($27). Een handtekening 'met echte lipstick-kus' doet zelfs $20. Helemaal brutaal is de James Bond Autographs-site. Daar vragen ze voor een 'gewone' handtekening op een wit kaartje $49 en voor een gesigneerde kleurenfoto $129! 'She's very tough to get meanwhile' staat er nog bij. Ja, geen wonder. Zelfs domme blondjes leren bij.

Aanboren

Soms lees je nieuwsberichten waarvan je denkt: dat
kán niet waar zijn. Zoals deze, uit de Amerikaanse
staat Iowa. Een 52-jarige tandarts heeft onlangs zijn
32-jarige assistente – die al tien jaar bij hem werkte
en een uitstekende staat van dienst had – ontslagen
omdat hij haar té aantrekkelijk vond. Daar werd hij
erg onrustig van, en daarom heeft hij de jonge vrouw
zonder pardon de laan uitgestuurd. De assistente zag
in haar oudere werkgever niets meer dan een vaderfi
guur, en heeft op geen enkele manier met hem geflirt.
Hij wel met haar. De tandarts maakte voortdurende
toespelingen dat haar kleding zo strak zat, en toen
de assistente antwoordde dat ze niks anders droeg
dan standaardkleding voor medisch personeel, antwoordde hij: 'Luister eens, als ík een bobbel in mijn
broek krijg, is jóuw kleding duidelijk te uitdagend!'

Ook was hij erg geïnteresseerd in de frequentie van haar seksleven, want, zo liet hij haar weten, als ze weinig seks zou hebben dan zou dat zijn 'alsof je een Lamborghini in de garage had staan waar je weinig mee reed'.

Je vraagt je af waarom je voor zo'n glijer wil werken, maar het hebben van een baan is in Amerika van levensbelang voor het onderhoud van je gezin, aangezien er nauwelijks sociale voorzieningen zijn. De echtgenote van de tandarts ontdekte echter dat meneer ook sms'jes aan zijn assistente stuurde, en eiste vervolgens dat ze zou worden ontslagen 'om haar huwelijk te redden'. En dat deed de tandarts. Want, zo zei hij tegen de man van zijn assistente, anders zou hij misschien wel gaan proberen om een affaire met de jonge vrouw te beginnen – en dat terwijl ze gelukkig getrouwd was en op geen enkele manier in hem geïnteresseerd. Maar nu komt het. De assistente stapte naar de rechtbank om haar ontslag aan te vechten op grond van sekse-discriminatie. Het is natuurlijk absurd dat je na tien jaar ontslagen wordt en maar één maandje salaris meekrijgt – niet omdat je slecht presteert, maar omdat de baas op je geilt. En wat denk je?

Ze kreeg geen gelijk. Ook in hoger beroep niet.

De zeven mannelijke rechters van de Iowa Supreme Court vonden het volkomen begrijpelijk dat de tandarts de bron van seksuele opwinding uit zijn praktijk had verwijderd. Ik kan me hier kapot aan ergeren. Want waarom ligt het potverdorie altijd aan de vrouw? Waarom zijn er nog zoveel landen waar de vrouwen zich moeten bedekken omdat de mannen anders niet van ze kunnen afblijven? Waarom krijgen vrouwen in India te horen dat ze 's avonds niet met de bus moeten gaan, omdat ze anders een verkrachting kunnen uitlokken? Waarom moet ik mijn dochter anno 2013 nog steeds vertellen dat een kort rokje tot een kort lontje kan leiden? En waarom zegt zo'n Amerikaanse rechtbank niet tegen die tandarts dat hij zich gewoon eens moet leren beheersen? Krijgt meneer een bobbel in de broek van een vrouw in een wit schort met klompen? 'Eruit met die duivelse verleidster; ik heb mezelf niet in de hand!' Doe even normaal, zeg. Hoog tijd dat de heren, inclusief de tandarts, eens wat meer zelfbeheersing gaan aanboren!

Sexy

De hoofdredacteur van het Engelse mannenblad *Esquire* heeft ballen. Ik kan niet anders zeggen. Hoe durf je anders op een Europees congres over 'Feminisme in de media' hardop tegen een boe-roepende zaal te zeggen dat de vrouwen die figureren in *Esquire* voornamelijk 'ter decoratie' zijn? 'Tja, wij maken een mannenblad', zei de hoofdredacteur schouderophalend. 'Het zal wel controversieel zijn, en mensen vinden het lang niet altijd leuk om te horen maar de waarheid is simpel: in dit blad zien we vrouwen als mooie objecten. Ik kan hier wel gaan zitten liegen en zeggen dat we in hun intelligentie zijn geïnteresseerd, maar *Esquire* brengt plaatjes van mooie auto's, mooie horloges, en dus ook van mooie vrouwen.' Een schokgolf van ongeloof ging door de zaal. En dus deed hij er nog een schepje bovenop. 'Heteroseksuele mannen kunnen vrouwen heus ook anders zien, hoor. Als hun echtgenotes bijvoorbeeld, als dochters of als moeders. Maar soms willen we gewoon alleen maar naar vrouwen kijken omdat ze lekker sexy zijn.' Op Twitter, in blogs en krantencolumns ging de meute snel los over deze hoofdredacteur. Hij zou seksistisch zijn. In de verkeerde eeuw zijn blijven steken. Weggelopen uit een slechte Benny Hill-sketch. Of simpelweg de 'klootzak van de dag'. Maar ís hij dat ook? Is het nu echt zo wonderlijk wat hij zei? Zo afkeurenswaardig, ouderwets en denigrerend? Esquire is een mannenblad. En zijn we nu echt verbaasd dat de lezers van een mannenblad graag naar vrouwen kijken, en zich daarbij iets minder laten inspireren door de inhoud van hun hersenpan als wel door de inhoud van hun bh? Enneh – zijn vrouwen niet een tikje hypocriet in hun verontwaardiging? In het aprilnummer van het, overigens bijzonder leuke, nieuwe maandblad FAB staat bijvoorbeeld een reportage over de fotograaf Doug Inglish die vooral knappe mannen fotografeert. En dus worden de lezeressen vijf pagina's lang getrakteerd op foto's van prachtige mannenlijven met blote billen en gespierde buiken. Omdat ze zo, eh, intelligent zijn? Joh, ga toch weg.

De hele Coca-cola light-commercial draait om een man die wordt opgevoerd als decoratie. Je kunt geen tienerblaadje openslaan of het gaat over de hunks van One Direction, de hotties van het Nederlands Elftal en wie er verder nog allemaal 'lekkah' is. Vrouwenbladen staan bol van de mooie handtassen, mooie hakken en mooie mannen – wat is hier nu precies het verschil met de mannenbladen? Er zijn genoeg tijdschriften die wél veel aandacht besteden aan de diepte van iemands persoonlijkheid; laat er dan ook vooral ruimte blijven voor blaadjes die niet veel verder komen dan de diepte van iemands decolleté. Ik kan daar als vrouw niet echt wakker van liggen. Ik vind het zelfs wel stoer dat de hoofdredacteur van de Engelse *Esquire* dat gewoon ronduit durft te zeggen. En hij zei nog meer. Want deze meneer heeft namelijk ook voor het modetijdschrift *Vogue* gewerkt, en hij stelde dat die nog wel wat van *Esquire* konden leren. 'Wij besteden namelijk óók aandacht aan mooie veertigers zoals Cameron Diaz en Halle Berry. Die laatste hebben we onlangs nog uitgeroepen tot meest sexy vrouw van de wereld. Dit soort diversiteit is in de modebladen vaak ver te zoeken.' Tja. Touché.

Noten en zaden

Een collega van mij bekende laatst (na iets teveel bier-tjes) dat hij zijn echtgenote 'een paar keer' had bedro-gen tijdens buitenlandse reizen die hij voor zijn werk had gemaakt. Maar uiteindelijk zat 'm dat toch niet lekkcr. Zijn vrouw was zo licf; zij had dat vrccmdgaan niet verdiend. Hij had dan ook besloten om meer tijd aan zijn gezin te gaan besteden door vccl minder op reis te gaan. 'Dát zal je vrouw niet leuk hebben ge-vonden', lachte ik. 'Hoezo niet?', vroeg mijn collega verbaasd. 'Nou...', antwoordde ik, 'je dacht toch ze-ker niet dat je brave echtgenote tijdens al jouw reizen thuis keurig jouw onderbroeken heeft staan strijken? Alsof zij niet óók haar vertier buiten de deur heeft ge-zocht!' Ik zat hem natuurlijk een beetje te stangen, want het blijft aandoenlijk hoe mannen het vreemd-gaan voor zichzelf hebben geclaimd. 'Nee hoor', stamelde mijn collega, 'mijn vrouw zou zoiets nooit doen. Jij kent haar niet!' Arme jongen, dacht ik bij mezelf, jíj kent haar niet. Uit onderzoeken is namelijk al tig keer gebleken dat vrouwen tegenwoordig net zo vaak vreemdgaan als mannen.

Sinds (westerse) vrouwen economische zelfstandigheid hebben verworven, heeft de foute man zijn evenknie gevonden in de minstens net zo foute vrouw. Dat vrouwen meer aanleg zouden hebben voor monogamie of kuisheid is een veronderstelling die biologen in lachen doet uitbarsten. Het vrouwelijke zoogdier, van de chimpansee tot de leeuwin, is met afstand het meest loopse wezen van het dierenrijk. Waarom zou dat bij ons anders zijn? Mannen vergoeilijken hun avontuurtjes vaak met het clichéverhaal dat zij van oudsher 'nu eenmaal jagers zijn'. Ja, ja. Maar wat waren de vrouwen in de oertijd? Verzamelaars. En ze verzamelden heel graag verschillende soorten noten en zaden, als je begrijpt wat ik bedoel. Maar het wonderlijke is: mannen willen het niet echt geloven. Ze houden stug vast aan een soort alleenrecht op vreemdgaan. Nu er meer vrouwen dan mannen een universitaire bul halen, kleine jongetjes op school zittend moeten leren plassen en er zelfs al vrouwelijke autocoureurs zijn die hun mannelijke collega's eruit rijden, is losbandigheid voor sommige mannen misschien wel het laatste bastion van de mannelijkheid.

Da's dan pech voor ze, want ook op seksueel gebied hebben vrouwen een inhaalslag gemaakt. Niet dat dit altijd iets is om trots op te zijn. Ik heb een paar maanden geleden al eens 'n column geschreven over de opkomst van de luxe prostituette: schaamteloze jongedames met veel materiële wensen en weinig principiële bezwaren. 'Seks had ik toch al', aldus de minderjarige callgirl Zahia die drie Franse voetballers juridisch in het nauw bracht, 'dus ik dacht: waarom geen geld vragen?' En waarom je mond houden? Want dát is de keerzijde van scheefgaan: het komt altijd uit. Ook bij vrouwen. Zo werd Susanne Klatten, BMW-grootaandeelhouder en rijkste vrouw van Duitsland, vorig jaar gechanteerd door de man met wie ze vreemdging. Haar echtgenoot bleek stomverbaasd. Ook Iris Robinson, lid van het Britse parlement en echtgenote van de Noord-Ierse premier Peter Robinson, bleek een affaire te hebben met een negentienjarige goudzoeker. Nadat hij 55.000 euro van haar had losgepeuterd, nam hij de benen. Tja dames, dat heet nou een koekje van eigen deeg. Met extra noten en zaden.